Queridos amigos roedores,
bienvenidos al mundo de

Geronimo Stilton

GERONIMO STILTON
RATÓN INTELECTUAL,
DIRECTOR DE *EL ECO DEL ROEDOR*

TEA STILTON
AVENTURERA Y DECIDIDA,
ENVIADA ESPECIAL DE *EL ECO DEL ROE*

TRAMPITA STILTON
PILLÍN Y BURLÓN,
PRIMO DE GERONIMO

BENJAMÍN STILTON
SIMPÁTICO Y AFECTUOSO,
SOBRINO DE GERONIMO

Geronimo Stilton

EL MISTERIO DEL OJO DE ESMERALDA

DESTINO

El nombre de Geronimo Stilton y todos los personajes y detalles relacionados con él son *copyright*, marca registrada y propiedad exclusiva de Atlantyca SpA. Todos los derechos reservados. Se protegen los derechos morales del autor.

Textos de Geronimo Stilton
Ilustraciones de Matt Wolf
Diseño gráfico de Merenguita Gingermouse, Angela Simona y Benedetta Galante

Título original: *Il mistero dell'occhio di smeraldo*
© de la traducción: Manuel Manzano, 2008

Destino Infantil & Juvenil
destinojoven@edestino.es
www.destinojoven.com
Editado por Editorial Planeta S. A.

© 2000 - Edizioni Piemme S.p.A., Via Galeotto del Carretto 10 - 15033 Casale Monferrato (AL) – Italia
www.geronimostilton.com
© 2008 de la edición en lengua española: Editorial Planeta, S. A.
Avda. Diagonal, 662-664, 08034 Barcelona
Derechos internacionales © Atlantyca SpA, via Leopardi 8, 20123 Milán, Italia - foreignrights@atlantyca.it

Primera edición: mayo de 2008
Cuarta impresión: marzo de 2009
ISBN: 978-84-08-07810-4
Depósito legal: M. 8.591-2009
Fotocomposición: Víctor Igual, S. L.
Impresión y encuadernación: Brosmac, S. L.

Impreso en España - Printed in Spain

Stilton es el nombre de un famoso queso inglés. Es una marca registrada de la Asociación de Fabricantes de Queso Stilton. Para más información www.stiltoncheese.com

¡OTRA VEZ TARDE!

—¡Por mil quesos de bola! ¡Ya son las nueve!

¡Salté de la cama, y un segundo después ya estaba vestido, no me preguntéis cómo!

—¡Arrrrghhh! Odio los lunes por la mañana... —exclamé, mientras me lavaba los dientes con el dentífrico con sabor a GRUYERE. Bajé los escalones de tres en tres, pero tropecé con la cola y rodé escaleras abajo hasta la puerta de entrada.

—¡Taxiii! —chillé saltando dentro del vehículo con agilidad felina—. ¡Calle del Tortellini 13!

¡TAXIII!

Ratonia, la capital del la Isla de los Ratones, no ayudaba a empezar bien el día.

Las furgonetas de reparto corrían de un lado a otro para entregar el queso fresco del día, mientras ratas, ratones y roedores se *apresuraban* conduciendo motos, bicicletas y monopatines.

¡Hop, ya habíamos llegado! Salté fuera del taxi y **subí los dos tramos de** escalera que llevaban a la redacción. ¿Ah, no os he dicho que dirijo un periódico verdad? Se llama el *El Eco del Roedor* y mi nombre es Stilton, *¡Geronimo Stilton!* Entré jadeante, dejando el sombrero en la percha. Mi secretaria, Ratonila von Draken, corrió a mi encuentro apresurada, con las gafas caídas sobre el morro.

—¡*Señor Stilton*, **por fin**! ¡Hay un montón de roedores esperándole! Los diseñadores gráficos, el impresor, el grabador, el fotógrafo, ah, sí, también el redactor jefe, quiere hablar con usted *inmediatamente*, ¿y sabe que han llamado del banco? ¡Y hay que decidir la publicidad, y mientras tiene que firmarme este cheque, y aquí está la factura de marketing, además, ejem, señor director, me había prometido un aumento de sueldo!

Tuve un segundo de desaliento. Suspiré, apoyando el morro en mi escritorio de caoba.

¡No le desearía un día así ni siquiera a un

ODIO LOS LUNES

EL SECRETO
DE TEA

A mediodía, mi hermana Tea, que además es enviada especial de El *Eco del Roedor*, vino a buscarme a mi despacho montada en su moto.

—Te llevo a comer. ¡He reservado en un localito especial! Tengo que decirte algo importante. ¡Un secreto! —murmuró.

Unos veinte minutos más tarde, me bajé de la moto, aturdido.

—¡Ese adelantamiento! ¡No tenías que haber hecho ese adelantamiento! —chillé intentando alisarme los bigotes—. Pero ¿por qué, por qué, por qué tienes que adelantar tan de prisa? ¡Es peligroso, te lo he dicho mil veces!

Tsk
Tsk

—Ay, ay... Sigues siendo el miedoso de siempre, ¿eh? —respondió ella con una sonrisita traviesa.

Entramos en el restaurante.

Tea, que tiene un montón de amigos, saludaba a diestra y siniestra.

—¡Hola, Ratelius! ¡Hola, Crispín! ¡Eh, ahí está el bueno de Tapioca!

Finalmente nos sentamos.

—Así pues, ¿qué pasa? —pregunté impaciente.

—Espera, voy a pedir la comida. ¡¡¡Gnocchi para dos!!! —gritó Tea—. Al gorgonzola. Picantes. ¡Es más, *pi-can-tí-si-mos*!

—¿Picantes? Pero ¡si ya sabes que sufro de **ARDORES** de estómago! —intenté protestar.

—Verás como te sienta bien. ¡El picante tonifica! ¡Y, además, tienes que acostumbrarte a comer de todo! Verás, durante *nuestro viaje...* — susurró Tea guiñándome un ojo.

—¿Viaje? *¿QUÉ VIAJE?* ¿Es que nos tenemos que ir?

—¡*Sssssssssst!* ¿Quieres que se entere todo el mundo? —me acalló pellizcándome la cola.

—Así pues, ¡de qué se trata! —repetí.

—Espera, el camarero ronda por aquí con aire sospechoso. ¡No querría que nos espiara! —me interrumpió Tea.

—Pero ¿quién quieres que no espíe...? Venga, ¿qué pasa?

—Ah, si supieras... —dijo ella misteriosa.

—¡Bastaaaa! —grité—. ¡Si no me lo cuentas ya me dará un ataque!

—Vale. Es una historia **increíble**. Pero... ¿sabrás mantener el secreto?

—Grrrrrrrrr... —Es lo único que pude contestar.

Tea susurró:

—¡He encontrado el mapa de una isla donde hay un tesoro escondido: el OJO DE ESMERALDA!

Por poco me atraganto con un bocado.

—¿Una isla? ¿Un tesoro? ¿Una esmeralda? ¿Me tomas el pelo?

Tea levantó la ceja derecha.

Pfffff

—¡Pfffff, qué nervioso estás hoy!

Entonces, de debajo de la mesa sacó un pergamino amarillento por el tiempo y lo desenrolló con aire solemne.

Bahía del Doblón Agujereado
4 5 2 0 0
0 1 2 5
Cala de la Luna
Cala de los Calzones
Paso del Gato Cansado
Pico Perla
Pico del Pirata Hediondo
Llanura de los Escalofríos
Arrecife de la Garra Afilada
Cala del
sario sin Cola

—En un mercadillo, he encontrado este mapa metido entre las páginas de un viejo manual de navegación. Gerry, tienes que venir conmigo. ¡Es una ocasión única! —exclamó, con los bigotes zumbándole de la excitación.

—¡Primero, no me llames *Gerry*: mi nombre es Geronimo! —protesté—. Además, estoy a punto de publicar el trigésimo volumen de las 'BIOGRAFÍAS DE ROEDORES FAMOSOS'. Y, finalmente, no me creo esa historia: ¡figúrate, un OJO DE ESMERALDA!

Tea me miró fijamente, abriendo sus fascinantes ojos violeta. Y a continuación volvió a la carga, insinuante.

—No seas así, acompáñame... ¡Eres mi hermano mayor! ¡No me puedes dejar partir sola, Geronimino! —me dijo para hacer que me sintiera culpable.

—¡Mi nombre es **GE-RO-NI-MO**! —suspiré. ¡Aquella noche me bebí, una tras de otra, diez tazas de *tila*, pero no conseguí pegar ojo!

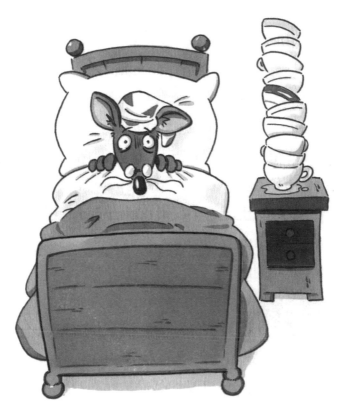

EL BAZAR
DE LA PULGA COJA

Al día siguiente, mi hermana me arrastró al puerto.

—Venga, **Geronimucho**, promete que me acompañarás. ¡No querrás dejarme ir sola! —insistía Tea.

—¡No me llames **Geronimucho**!

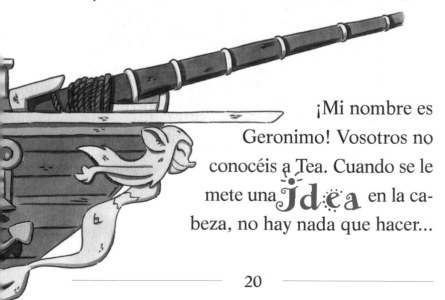

¡Mi nombre es Geronimo! Vosotros no conocéis a Tea. Cuando se le mete una **idea** en la cabeza, no hay nada que hacer...

—¡Prométeme, prométeme que vendrás conmigo! ¡Te lo ruego, hermanito!

Pobre de mí, se lo prometí... Y, como todo ratón sabe, ¡la palabra de un roedor es sagrada!

—**¡BRAVOBRAVOBRAVO!** —exclamó Tea, improvisando unos pasos de baile.

Después subimos a bordo para inspeccionar el barco que había alquilado para el viaje. Pertenecía a un viejo capitán jubilado: era un velero bergantín de elegante línea, con velas amarillas, del color de queso maduro.

Tenía un nombre que parecía de buen augurio: *AFORTUNADO*.

Tea me guiñó un ojo.

—Dos marineros no bastan para llevar el barco. ¿Sabes a quién podríamos pedirle que viniera con nosotros? ¡A Trampita! ¡Parece que entiende de las cosas del mar!

MAR MAR MAR MAR MAR MAR MAR MAR MAR MAR

No tenía muy claro llevarme a mi primo Trampita.

—De pequeño era una verdadera pesadilla. Siempre se divertía pisándome la cola. ¿Y recuerdas cuando me tiñó los bigotes de **VIOLETA** con tinta indeleble? —dije.

Pero Tea insistía.

Así pues, fuimos a buscar a Trampita a su trapería, el Bazar de la Pulga Coja.

El escaparate de la tienda estaba polvoriento.

Qué extraña mercancía: un amuleto anti-gatos de paja entrelazada, una colección de rizadores de bigotes de plata...

Roedores de expresión grave nos miraban desde una vieja foto, amarillenta por el tiempo.

Y también había **JUGUETES** de latón, viejas marionetas.

Entramos: la puerta, al abrirse, hizo tintinear

un móvil de campa-
nillas de bronce
clavado en el te-
cho.

Repantigado
en una silla
giratoria
de brazos
acolcha-
dos, con

un lápiz tras la
oreja derecha, había un ratón
Rellenito, de patas cortas: era mi primo
Trampita que, con un **salto** sorprendente-
mente ágil, en un instante estuvo a nuestro
lado.

—¡Así me salgan ampollas en los talones!
—exclamó triturándome la pata—. Pero
¡mira, quién está aquí! Vosotros dos siempre
juntos, ¿eh? ¡Como el cazo y la sopa! ¿Qué

hacéis aquí? ¿Queréis comprar algo? ¡Os lo digo ya de entrada, no le hago descuento a nadie, ni siquiera a los parientes! ¡Y *se paga al* **contado**! —nos gritó al oído.

—¿No tendrás un lugar tranquilito donde podamos hablar? —preguntó Tea.

Trampita se dirigió hacia una estantería en la que se veían libros de todas las formas y tamaños, de cubiertas de cuero descoloridas. **OLÍA** a cerrado, como si nadie hubiese abierto las ventanas desde hacía mucho tiempo. De repente, oímos un horrendo maullido.

Tea y yo dimos un salto del susto.

Miaaaaa

—*¿Dónde está? ¿Dónde está* el gato? —gritamos.

Trampita se partía de risa, sosteniéndose la panza con las patas.

—¡Ja, jaa, jaaa! No hay ningún gato, es un maullido grabado. Se conecta automáticamente justo cuando alguien entra en la tienda. Funciona con una célula fotoeléctrica. Divertido, ¿verdad?

—¡Sí, muy divertido, verdaderamente divertido, Trampita! —exclamó Tea SECAMENTE.

—Mantiene alejados a los ladrones... ¡y también a los curiosos! —rió Trampita, satisfecho—. ¡Caramba, podría patentarlo! —añadió mi primo, embargado por una repentina inspiración—.

Ganaría un montón de dinero... —murmuró con un brillo en los ojos. Entonces se volvió hacia nosotros—. Y así pues, roedorzuelos ¿qué queréis proponerme? No tengo tiempo que perder: ¡soy un ratón muy ocupado! —añadió dándose aires de importancia mientras se rascaba los bigotes.

Después de escuchar nuestra idea, Trampita entrecerró los ojos y concluyó con aire de suficiencia:

—¡Sólo porque somos parientes... de acuerdo, yo también voy! Pero ¡pobre del que toque mi parte cuando encontremos el tesoro!

Brindamos por el éxito de nuestra empresa y entrelazando las colas exclamamos:

—¡Por nuestro viaje!

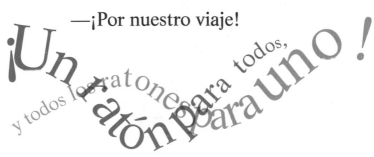

¡Un ratón para todos, y todos los ratones para uno!

¡LLÉVAME CONTIGO!

De vuelta a casa pasé a saludar a Benjamín. Más pequeño que los otros ratones de su edad, **gordito** y con las orejitas de soplillo, Benjamín es mi sobrinito preferido.

—¡Tío, cuéntame un cuento! —era la frase con que me recibía siempre. Como de costumbre, me ARRELLANÉ en el sillón ACOLCHADO de la biblioteca. De pequeño, Ben-

jamín siempre se dormía antes del final del cuento. Por eso, cuando escribí mi primer libro, que tuvo un éxito clamoroso en Ratonia, se lo dediqué a él con la siguiente frase...

"A Benjamín, ¡para que finalmente descubra cómo acaba el cuento!"

¡Ahora mi sobrinito ya tenía ocho, casi nueve años!

—¿Te vas de viaje? ¡Llévame contigo, tío! ¡Por favor, llévame contigo! ¡Seré tu ayudante! ¡Te llevaré la libreta para las anotaciones y le sacaré punta a los lápices! —me suplicó.

—Benjamín, cuando seas mayor te llevaré conmigo. Pero esta vez es imposible.

Me puse la pata derecha en el CORAZÓN, mientras con la izquierda me tiraba de los bigotes: es el saludo que nosotros los ratones reservamos para las ocasiones solemnes. Este gesto se llama *siempreconmigo*: ¡significa que los CORAZONÉS de dos ratones que se quieren siempre están cerca!

¡Los corazones de dos ratones que se quieren siempre están cerca!

¿QUÉ FALTA?

—Treinta kilos de queso curado, ochenta cajas de quesitos a la pimienta, cincuenta kilos de parmesano rallado, ocho botes de gruyeres condensado —exclamaba, leyendo en voz alta la lista de provisiones. ¡Qué lío!

—Trampita, llena el depósito de agua hasta el borde. ¡Quieto! ¿Qué haces? ¡Por los bigotes del gato zumbón! ¡Ése es el depósito de la gasolina!

—Tea, corre a buscar la brújula de reserva que he

comprado en la tienda de náutica. Pídele al propietario, **NICANOR PULPOSO**, más conocido como **ATUNETE**, un buen amigo mío, que te haga un poquito de descuento. ¡Lo reconocerás en seguida! ¡Es un ratón gris, **alto** y **delgado**, con las orejas peladas y la cola muy peluda!

En ese momento, me di cuenta de que Trampita estaba cuchicheando con el grumete del barco.

—Ya verás, queridísimo amigo... vamos a ir a... no te digo más... pero ya verás... cuando volvamos... estamos buscando una cosa que no te puedo decir... que empieza por **T** y acaba por **O**... en una isla... sí, pero no sabemos dónde buscar esa cosa tan...

Tiré a Trampita de la cola y le susurré furibundo:

—¿Qué haces, le vas a contar la historia del tesoro? ¿Quieres arruinarnos?

Trampita adoptó un aire inocente.

—¿¿¿Quién, **YO**??? ¿Acaso he hablado de tesoros? Hay un montón de palabras que empiezan por **T** y acaban por **O**, ¿sabes?: **toro**, teléfono, tobillo... y también **tonto**, para que te enteres.

—¡Grrrrr! —murmuré, frenético.

Acabamos de cargar a las seis de la tarde. Corrí a "TODO PARA EL RATÓN AVENTURERO", la mejor tienda de artículos deportivos de la ciudad.

Entré como un rayo.

—Por favor, ¿me vende todo lo necesario para un largo viaje por mar? ¡Tengo poquísimo tiempo! —le dije al dueño de la tienda.

—¡*Señor Stilton*! ¡Qué honor! —exclamó él.

Entonces me convenció de que necesitaba **ab-so-lu-ta-men-te** toda una serie de cosas. Por ejemplo, traje de baño de piel de **LEO-PARDO** (que me parecía demasiado audaz), tapa-cola y tapa-orejas forrados (para el frío extremo), casco de explorador (con mini-ventilador para refrescar el cráneo), navajita de bolsillo multiusos con 50 accesorios (¡entre ellos brújula, mondadientes, limpiaorejas y también un peinecito para los bigotes!), cronómetro impermeable (con el que podría descender hasta **300 METROS** bajo el agua, ¡aunque no pensaba hacerlo ni loco!).

—También necesito una maleta, ¡o mejor, un baúl! —le dije después al dueño.

—Ya me he dado cuenta de usted es un entendido —susurró él, con los ojos brillantes—. ¡Tengo algo muy especial que quiero enseñarle!

Me llevó hasta la trastienda, se sacó una llave del bolsillo y abrió la puerta de un cuartito de donde salía un leve olor a cuero. Con gesto de prestidigitador, levantó un pañuelo de seda.

Apareció un baúl tan alto como un ratón, forrado de cuero amarillento, reforzado en los cantos con relucientes bordes de latón. Medía al menos dos colas de ancho y tres de largo. Una correa de color mostaza lo rodeaba por completo, ¡para garantizar un cierre realmente a prueba de gatos!

—¿No es una maravilla? —preguntó el dueño.

Lo abrí con reverencia.

En el interior, había perchas para los trajes y una sombrerera forrada de seda de color gruyere.

No faltaban botellas de cristal de tapón esmaltado; peines, cepillos y un espejo con mango de plata labrada.

El baúl contenía un **escritorio** de viaje de madera de rosal, con cierre de persiana, con una taquilla para plumas y lápices y otra para papel de carta, y un pequeño, pequeñísimo compartimento secreto...

—¡Me lo llevo! —**EXCLAMÉ**.

—¡Sabía que le gustaría, *Señor Stilton!*

ES iDeal PaRa Un laRGo, aVentuReRo Y RoMántico Viaje PoR MaR.

¡Es usted un ratón afortunado! —murmuró el dueño con expresión soñadora.

¡Yo empezaba a animarme!

PRIMER AMANECER EN EL MAR

Ah, la **brisa fresca** que se respira en el mar...
Ah, el aire perfumado de algas y sal marina...
Plantado firmemente al timón, con la barra sujeta entre las patas, disfrutaba de la emoción de la partida.

Estaba amaneciendo: el sol apenas había asomado en el horizonte, y se veía pálido como una mozzarella.

El mar estaba plano como una balsa de aceite, y se abría frente a la proa del *Afortunado* acariciándola delicadamente, *ola tras ola...*

Las salpicaduras me humedecían los bigotes.

¡Acabábamos de partir, pero me parecía como si siempre hubiera sido marinero!

Llevaba un chaquetón de tela plastificada de color amarillo antiniebla, con pantalones de cintura alta y sombrerito impermeable.

Adoro el color amarillo, me pone a l e g r e.

Es un color que a los ratones nos da suerte.

¡Es el color del queso!

El viento, indiscreto, intentaba colarse por **POR TODOS LADOS**; por dentro del cuello de la chaqueta, por debajo de los pantalones...

Pero yo iba bien abrigado, totalmente forrado de lana bajo el chaquetón plastificado.

Pensé en Benjamín. ¡Cómo lo echaba de menos!

¡Es curioso cómo un ratón tan pequeño puede dejar un vacío tan grande!

Mis reflexiones fueron interrumpidas por Trampita que bOstezandO ruidosamente se acercó al puente.

—¡Hola, primo! —me saludó agitando una bolsa de patatas fritas.

—¿Quieres una? ¿NOOO? —exclamó con la boca llena mientras se ponía las gafas de sol.

—¡Cuidado con pringar el timón! —grité.

—¡Uy, qué remilgado! —protestó él apoyando una pata pringosa justo sobre el mismo. Fingí no haberlo visto, por no discutir.

—¡En vez de hacerte el chistoso, traeme las cartas de navegación! Quiero ver si estamos siguiendo la ruta hacia la isla del tesoro.

—OKEY, OKEY, primote —dijo Trampita jugando con un salvavidas.

—¡Estate quieto, por favor! —chillé.

—¿Y ahora qué pasa? —gritó Trampita.

—¡Has estado a punto de sentarte encima de mis gafas! —murmuré mientras me recorría un sudor **FRÍO**: sin gafas no distingo un provolone de un queso de bola.

¿**Por qué,** por qué, por qué lo habíamos llevado con nosotros?

ALMEJAS FRESQUÍSIMAS

Caía la tarde. El *sol*, que se *hundía* en el mar por el horizonte, estaba encarnado como una cereza caramelizada, y se reflejaba en un mar rojo como zumo de frambuesas, mientras en el cielo, las nubes blancas y algodonosas parecían nata montada.

—¡Qué momento tan *romántico*! —suspiré.

De repente...

—¡Por mil quesos de bola! ¡Emergencia, emergencia en las cocinas!

Era la voz de mi primo.

Tea y yo corrimos preocupados.

—¿Qué pasa? ¿Qué sucede?

Trampita saltaba a la pata coja.

—¡Me gustaría saber quién inventó esa cocinilla que salta ARRIBA y ABAJO como si bailara un rock! ¡Me he quemado una pata con la salsa de las almejas! —gritó mi primo, masajeándose amorosamente un callo—. Y bueno, ya que estáis aquí, preparad la mesa. ¡Mientras vosotros tomabais el fresco yo trabajando! ¿Es que tengo que hacerlo todo yo? Entonces mi primo se sentó gimoteando en un **pequeño** diván, observándose la pata herida con los ojos entrecerrados.

Tea sazonaba la pasta mientras yo olfateaba la salsa de almejas.

—¡Ahora entiendo por qué en la Edad Media lanzaban aceite hirviendo a los enemigos desde las murallas de los CASTILLOS! —murmuró mi primo.

—¡No te creía tan culto, Trampita! —observé, llenándome el plato.

—¡Qué cultura ni qué cultura! ¡Lo he visto en los dibujos animados de la **TELE**! ¡En la tele dan de todo!

—Ah, claro... —respondí distraído.

Estaba olfateando la salsa.

—¿Estas almejas eran **frescas**?

—¿**frescas**? **¡FRESQUÍSIMAS!** ¡Más frescas, imposible! ¡Palabra de ratón! Bueno, ¡palabra de rata de alcantarilla! —rectificó Trampita, fingiendo cruzar los meñiques con el gesto del juramento ratonil—. ¿Por qué me lo preguntas?

—Bueno, es que sueltan un **OLORCILLO**... Huelen a...

—¿A qué? —preguntó Trampita amenazador.

—¿... **A CLOACA**? —aventuré dubitativo.

—Pero ¿es que no me escuchas cuando hablo? ¿Tienes las orejas repletas de queso? ¡Ya te he dicho que eran **EXTRAFRESCAS**! ¿Es que pretendes insultarme? ¡Pues mira, si no quieres comértelas, peor para ti!

—Tengo que ir a controlar la ruta. ¡Ahora empieza mi turno de guardia! —trinó Tea, agarrando un trozo de pan y corriendo fuera. Sus **PALABRAS** se perdieron en el *VIENTO*, que soplaba alegre más allá de las velas.

Yo dudé un instante, después empecé a comer lentamente.

—¡Yo no comeré almejas: ya se me ha pasado el apetito! —dijo Trampita royendo mientras lo decía un trozo de pan con queso.

A las dos de la madrugada, me desperté bizqueando por un terrible dolor de tripas.

¡Parecía que un **GATO** me estuviese
arañando el estómago!

Corrí al baño sin siquiera ponerme las gafas. Así que tropecé con la alfombra y me
aplasté el morro contra el armarito del boti-
quín. Después me lancé a la *velocidad* de
la luz hacia la única silla en la que uno se
sienta con los pantalones bajados. Mientras
me masajeaba el chichón del morro, de repente tuve una sospecha. ¿Y si habían sido
las almejas las *causantes* de aquella
bromita?

La puerta del baño se abrió de golpe. Trampita, con los ojos hinchados por el sueño, tor-
ció el morro tapándose la nariz con aire dis-
gustado.

—¿Qué es esto, la guerra química? ¿Es que
quieres asfixiarnos a todos?

También vino Tea, desvelada por el ruido

—¡Di la verdad! ¿Dónde compraste esas almejas, Trampita? —preguntó mi hermana. Mi primo calló, avergonzado, tamborileando con la pata sana en la moqueta.

—En la subasta del pescado... ejem, del mercado de congelados —confesó con aire culpable.

—¿CONGELADOS? Pero ¿no has dicho que eran almejas frescas? —me sobresalté.

—¡Claro que estaban frescas! ¡Más que frescas! ¡Estaban BAJO CERO! —rebatió mi primo, recobrando en seguida la desenvoltura—. Estaban, ejem, en oferta especial. El ratón que me las vendió el mes pasado me recomendó comerlas el mismo día, porque si no se echarían a perder... Yo naturalmente no le creí, ya sabes cómo son los pescaderos, siempre exagerando... —decía Trampita.

—*Grrrr...* En vez de trapero deberías ser envenenador... —grité.

Intenté atraparlo, pero tropecé con el rollo de papel higiénico.

¿Por qué, **por qué**, **por qué** lo habíamos llevado con nosotros?

MISTERIO
A BORDO

Al alba del octavo día de *navegación* ya estábamos cerca de la isla del tesoro; *teníamos viento y corrientes a favor.* Terminado mi turno, bajé a la despensa, donde habíamos almacenado las provisiones. ¿Migas por el suelo? ¡Hum, extraño, muy extraño! Seguí las huellas de las migas: llevaban a un barril de **MANZANAS ROJAS.**

Con una vaga sospecha, levanté la tapa del barril.

¡Madre mía, cinco corazones de manzana!
¡FRESCO FRESCO, acabados de roer!
¿Es que había un polizón a bordo?
Esperé antes de hablar con mis compañeros. ¡Si estaba equivocado, me to-
marían el pelo durante todo
el viaje!
La noche siguiente,
cuando ya todos

estaban
durmiendo, es-
parcí una capa de tal-
co en el suelo de delante de la cocina. Después, até un hilo al pomo de la puerta
de la despensa.
A la mañana siguiente, bajé a controlar. El
hilo estaba roto, señal de que alguien había
entrado en la despensa. Sobre el talco había

huellas. ¡Qué extraño! Eran muy, muy pequeñas.

¿Se trataba de un ratón enano?

Decidí sorprender a aquel roedor listillo con las patas en la masa. Esa noche, me puse al alcance de la pata el bate de madera que me regaló **Batemucho Batebién**, también conocido como Musculito, un amigo mío que juega al béisbol. ¡Estaba dispuesto a darle en la cola a cualquier pillastre!

Era ya la una de la madrugada, cuando oí

crujidos procedentes de la bodega. Antes de nada me puse las gafas, sin las que no distinguiría un gato de un ratón. Con la pata derecha, agarré una linterna y con la izquierda el bate.

El pícaro estaba abriendo la nevera. Blandiendo el bate en alto, me acerqué de puntillas, encendí la luz... ¡y vi a mi sobrinito Benjamín royendo una galleta de jengibre!

—¡Hola, tío! —exclamó saltándome al cuello y dándome un besito en la punta del morro—. ¿Estás contento de que esté aquí para hacerte compañía?

—PERO... TÚ...

PERO CÓMO...

PERO CUÁNDO...

EN FIN,

¿QUÉ HACES AQUÍ?

—farfullé.

—¡Verás como seré útil! Ordenaré tu camarote, te doblaré la ropa, soy muy bueno doblando ropa, ¿sabes? ¡Y además seré tu secretario, así cuando volvamos escribirás un libro interesantísimo!

Sólo podía hacer una cosa: ¡lo estreché con fuerza, con ternura!

—¡Te quiero mucho, Benjamín, y estoy muy contento de que estés aquí!

¡RATÓN AL AGUA!

Eran las once de la noche, y me encontraba al timón en mi turno de guardia.

—¿Todo bien, *Ger*? —preguntó Tea asomándose al puente.

—¡Todo bien, hermanita! Pero ¡no me llames *Ger*, por favor! —respondí.

Empezaba a refrescar.

¿ESTARÍA CAMBIANDO EL TIEMPO?

Levanté el morro para mirar las nubes. En ese momento, el barco dio un bandazo y el botalón me golpeó, y me caí por la borda.

No tuve tiempo de gritar **SOCORRO**... y el barco ya se estaba alejando mientras yo braceaba entre las olas.

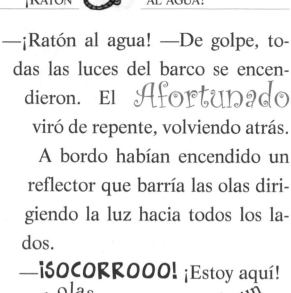

—¡Ratón al agua! —De golpe, todas las luces del barco se encendieron. El *Afortunado* viró de repente, volviendo atrás.

A bordo habían encendido un reflector que barría las olas dirigiendo la luz hacia todos los lados.

—**¡SOCORROOO!** ¡Estoy aquí! Las olas me lanzaban de un lado a otro como a un corcho.

El agua helada me penetraba en el pelaje y me castañeteaban los dientes.

—¡Ahí está! ¡Es él! —oí gritar.

De improviso, el foco me inundó de luz. ¡Me habían visto! **¡Me habían visto!**

Me lanzaron una cuerda, pero no pude alcanzarla. Al cabo de un rato, una pata robusta me aferró por las orejas y me sacó a flote. ¡Era Trampita!

—¡Primote, agárrate a mi cola!

En pocos instantes, me arrastró hasta el *Afortunado*, Benjamín y Tea soltaron una escalera de cuerda.

—¡Spluttt! —escupí agua, y abrí los ojos mientras Trampita **saltaba** sobre mi panza.

—¡ESTÁ VIVO, ESTÁ VIVO!

—chillaba mi primo.

Tenía las orejas MORADAS de frío.

Tea me cogía de la pata, con los ojos brillantes por la emoción.

—¡Tío Trampita, eres un verdadero héroe! —decía Benjamín con admiración.

—¡De verdad, Trampita, no sabemos cómo agradecértelo! —repetía Tea con gratitud. Trampita se ruborizó.

—Nada, nada, **ratonzuelos**. ¡Para un ratón como yo, esto no es nada... de especial! ¡No vale la pena ni hablar!

Después se fue **SILBANDO**, con las patas a la espalda.

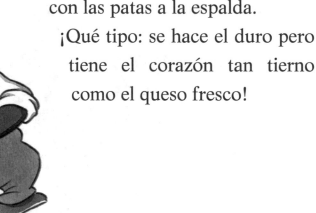

¡Qué tipo: se hace el duro pero tiene el corazón tan tierno como el queso fresco!

UN VERDADERO MARINERO SIEMPRE SABE QUÉ HACER

La mañana del decimoquinto día de navegación me desperté con un sobresalto.

—¡Despiertaaa, hermanito! ¡Menuda borrasca! Atontado, con los ojos **HINCHADOS** por el sueño, me puse el mono plastificado y seguí a Tea hasta el puente: al este, el cielo estaba cubierto de nubarrones negros.

—**CORRE** a arriar las velas, Tea. Espera, deja sólo la vela más pequeña, la del tormentín, así el barco navegará mejor. Pero ¿dónde está Trampita? Voy a buscarlo, él es un verdadero marinero, él sabrá lo que hay que hacer...

Dejé a Tea al timón y corrí al interior del casco a buscar a mi primo. El barco se *balanceaba,* azotado con violencia por unas olas cada vez más altas. Abrí la puerta del camarote de Trampita: mi primo estaba en la cama, cubierto con las mantas hasta las orejas.

—¡Trampita, el *Afortunado* hace aguas, y no sabemos qué hacer! —grité sacudiéndolo.

—¡Yo... tampoco... lo... sé! —farfulló Trampita bizqueando.

—Pero ¿tú no eras un experto marinero? ¿No has sido comandante de una nave?

Por toda respuesta, mi primo se levantó de golpe, me miró fijamente y vomitó dentro del sombrero que yo había dejado incautamente en la litera.

—**¡AGGGH!** —exclamé, saltando hacia atrás.

Y, al hacerlo, choqué contra el armarito de Trampita. Un libro cayó al suelo, pero tuve tiempo de leer el título:

Curso de Navegación
por correspondencia (en 800 lecciones).

Me asaltó una duda atroz.

Cogí el volumen y lo hojeé. El punto de libro estaba en la página 11:

"Lección número tres, el timón sirve para dirigir el barco..."

—Tú... tú... tú...

—me costaba encontrar las palabras.

—¡Incalificable subespecie de ratón! ¡Innoble rata de alcantarilla! ¿Caraqueso! ¡Después arreglaremos cuentas!

—concluí, volviendo al timón a la carrera. Olas enormes, altas como casas de tres pisos, golpeaban el puente. Cada vez que la proa cogía una ola, el barco descendía pavorosamente, para después elevarse con resultados desastrosos para los estómagos de la tripulación.

—**¡TENEMOS QUE CONSEGUIRLO SOLOS!** —le grité a mi hermana.

Tea estaba pálida como el queso fresco, y por un instante le vi en los ojos una mirada extraviada, pero se repuso en seguida. —**¡LO CONSEGUIREMOS SIN ÉL!** —concluyó mi hermana, enérgica.

¡Menuda era Tea!

¡Verdaderamente una **SÚPER** roedora!

El viento continuaba soplando y cubría con un silbido ensordecedor todos los demás sonidos. El mar estaba en fuerza ocho.

—¡Por mil quesos de bola! ¡Esto no es una tormenta, es un tornado! —pensaba yo preocupado.

Qué pena habernos topado con aquella tormenta. ¡En dos o tres días como máximo, habríamos llegado a la isla, a la isla del tesoro! Cuando el ruido del viento disminuía, oía los lamentos de mi primo, presa de un terrible mareo. Se había, cómo decirlo, olvidado de contar que en la nave había trabajado como cocinero, no de capitán.

Cuando llegó la noche aún fue peor, si eso era posible. En la oscuridad no se distinguía la dirección de las olas y el barco oscilaba pavorosamente.

Estábamos empapados hasta las amígdalas... Llegó el alba, que reveló un mar LÍVIDO y agitado por furiosas olas.

Entonces, de repente, la catástrofe: una *ráfaga de viento* más fuerte que las otras, hizo saltar la jarcia de metal con un ruido seco. El velamen se rompió, el Afortunado

SE INCLINÓ

ATERRADORAMENTE.

ENTONCES EL AGUA

LO INVADIÓ TODO.

Nos hundimos

EL BAÚL
DE LAS MARAVILLAS

Me encontré en las **GÉLIDAS** aguas. Braceé mucho para salir a flote, y escupiendo agua salada, me llené los pulmones de aire.

Sin embargo, otra ola enorme me sumergió. ¡Me parecía estar en una centrifugadora! De repente, entre una ola y otra, divisé un pellejillo gris...

—¡Benjamín!

Lo agarré por la cola, mientras el viento dejaba de soplar como por arte de magia.

¡Maldita, maldita y maldita tormenta!

El *Afortunado* había desaparecido y

no había dónde agarrarse. Nada. Pero... Reconocí una forma familiar.

—¡Por mil quesos de bola! Pero ¡si era mi **BAÚL**!

Me aferré a él con la fuerza de la desesperación. ¡Salvados! ¡Estábamos salvados!

No veía rastro de Trampita ni de Tea. Subido al baúl, no me cansaba de escrutar el horizonte. A mediodía, aviste dos pequeños, pequeñísimos puntos que aparecían y desaparecían entre las olas.

El corazón me latió con **fuerza**.

—¡Trampita! ¡Tea! —grité a pleno pulmón.

Eran ellos.

Remé afanosamente con las patas.

—¡Agarraos a mi cola! —grité.

—Las hemos pasado canutas, primotc...

—gimoteó Trampita izándose al **BAÚL** con el pelaje empapado.

—¡Hermanito, qué alegría volver a verte!

—susurró Tea, entrelazando su cola con la mía en señal de afecto. La abracé, estrechándola con fuerza.

Tea, mientras, moqueaba, tan emocionada como yo.

También Trampita lloraba, pero de desesperación, no de emoción.

—¡El **OJO DE ESMERALDA**... snif... ¡Nunca lo encontraremos sin el mapa!

Tea se rió.

—¿Mapa? —Entonces se metió una pata bajo el jersey y extrajo un pergamino estropeado.

—¡Bravooo! —exclamó Trampita con entusiasmo, pasando de las

lágrimas a la alegría más desenfrenada. En aquel instante, Benjamín abrió los ojos.

—¿Cómo te encuentras, ratoncito?

—¿Tío, eres tú, tío Geronimo? —mur-muró.

—¡Sí, quesito mío, soy yo! —susurré con afecto—. Todo saldrá bien, ya verás...

¡ADIÓS, BATA!

Tea intentó hacer balance de la situación.

—Según mis cálculos, estamos cerquísima de la isla del tesoro. —Entonces señaló una manchita blanca y negra en el cielo—. ¡Un pelícano! ¡Estamos realmente cerca!

Trampita lanzó un grito.

ME SOBRESALTÉ.

—¿Qué pasa? ¿Es necesario que grites de esa manera?

—¡Tengo una idea! —chilló.

A continuación, agarró la manija del BAÚL e intentó levantar la tapa.

—Pero ¿qué haces? ¿Es que quieres mandarnos a todos al agua? —protesté.

Trampita estaba dibujando un triangulo en el aire, con gestos frenéticos.

—Pero ¿por qué gesticulas? ¿A quién te diriges? —grité yo inmediatamente—. ¿Es a mí?

Trampita, emocionado, balbuceaba:

—*¡Bata... cinturón... rayas azules!*

Finalmente, sacó del baúl mi bata de seda a rayas blancas y azules... ¡y la rasgó en dos!

—**¡SOY UN GENIO, SOY TODO UN GENIO!** ¡A veces me siento tan inteligente que me asusto! ¡Eso es: usaremos estos trapos para hacer una vela!

—¿Trapos? Pero ¿qué dices? ¡Eso era mi bata de seda con b**OtO**nes de plata! ¡Mi bata con mis iniciales bordadas en oro!

—¡Uf, qué quejica eres... y qué egoísta! ¡Sólo piensas en tu batita, cuando hay de por

medio un tesoro para todos! ¡**Geronimoide**, me dejas pasmado!

—¡No me llames **Geronimoide**! ¡Mi nombre es Geronimo, Geronimo! ¿Entiendes? —repetí exasperado.

¡Ya estaba! ¡Izamos la **vela-bata** en un palo de madera que servía para colgar las perchas en el baúl.

Empezamos a navegar.

—¡Qué sed! ¡Tengo la lengua que parece de esparto! —protestaba Trampita—. ¡Lo que daría por un **helado**! ¿Te acuerdas de la heladería *Ratóndehielo*? ¡Qué **FRESQUITO**, hasta en pleno agosto: tenían el aire acondicionado al máximo! ¡Y cuántos helados: de mozzarela, de gruyere, de gorgonzola... había hasta granizados de camembert y sorbetes de queso de bola!

El calor era terrible, y nuestra moral bajísima. Entonces, un amanecer, un trueno hizo RETUMBAR el cielo. Me toqué el morro, cubierto de gotas. ¡Gotas de agua dulce!

La lluvia era tan densa que parecía que estuviéramos bajo la ducha. Lamí las gotas que me caían en la lengua: ¡qué felicidad! Mis compañeros **bailaban** como locos bajo el diluvio. En un instante, tan rápida como había llegado, la lluvia cesó. ¡Todos los recipientes que habíamos colocado estaban llenos!

Nos abrazamos, entrelazamos las colas y exclamamos a coro a pleno pulmón:

¡Un ratón para todos, y todos los ratones para uno!

¡TIERRAAAAAAAAA!

Finalmente, al alba del octavo día después de la tormenta, bajo la luz tenue que precede a la salida del sol, oí exclamar: **¡Tierraaaaaaaaa!**

Veía la isla que **emergía** de entre las olas, cada vez más cerca, cada vez más verde. Bajo nosotros, el agua discurría como una alfombra de color esmeralda. Trampita fue el primero en alcanzar la isla. La arena, blanca y finísima, crujía bajo sus patas como patatas fritas. Mi primo se lanzó sobre ella, besando el suelo. Después se volvió, con el morro **lleno** de arena:

—**Ratonzuelos**, de aquí no me saca nadie nunca más...

¡Soy un ratón de tierra, no de mar!

VERDE ESMERALDA

Verde el agua del fondo, Verde la vegetación. Parecía que la naturaleza se hubiese desahogado con un pincel mágico, pintando la isla del tesoro con mil tonos distintos de verde: el Verde claro de las yemas, el Verde oscuro de las hojas de los bananos, el Verde intenso de las palmeras. Arrastramos el **BAÚL** hasta la playa y empezamos a explorar la isla. Fatigosamente, abrimos una senda entre la vegetación, entre **matorrales** y **lianas**, pisando hojas brillantes por el agua de lluvia, encaramándonos a troncos repletos de ramas y rodeando rocas gigantescas recubiertas de musgo.

Llevábamos unos diez minutos de marcha cuando oímos un ruido. Se diría que... sí, parecía como si...

Una cascada se precipitaba desde lo alto de un peñasco, formando un lago de agua cristalina.

Frente a la cascada, un árbol tan alto como un edificio. Era un baobab; las ramas eran gruesas y fuertes, las raíces nudosas trepaban por las rocas. El laguito estaba rodeado por grandes **PIEDRAS** planas, recubiertas de musgo y de matojos de helechos **GIGANTES**. La isla estaba repleta de árboles frutales: plátanos, mangos, papayas colgaban tentadores de las ramas, como en un supermercado. Recogí algún *fruto* y se lo llevé a mis amigos.

¡GE-RO-

Benjamín gritó de alegría, se lanzó sobre la enorme rodaja de papaya que había cortado para él y la royó a gusto.

—¡*Ger* ha traído la comida! —exclamó Tea, saltando fuera del agua.

—¡Hey, *Geronimucho*! ¡Por fin comemos! —dijo Trampita.

—¿Geronimucho? Ya lo sabes... te lo he dicho muchas veces... mi nombre es...

Ι - MO!

¿Por qué, por qué, por qué, por qué, por qué tenía que repetirlo siempre?

¡TODOS EN FILA!

Aquella noche, dormimos sobre el gran **BAOBAB**. Arrebujados en una cavidad en la unión de dos grandes ramas, nos apretábamos los unos contra los otros para darnos ánimo. ¡Yo no pegué ojo, tenía miedo de caerme mientras dormía!

A la mañana siguiente, nos reunimos todos para hacer planes.

—¡Tenemos que decidir quién será el jefe aquí en la isla! ¡Lo decidiremos a pata alzada!

Trampita votó por sí mismo. Tea votó por mí, y Benjamín y yo votamos por **ella**.

Mi hermana se aclaró la voz.

—Amigos, quiero deciros que no os arrepentiréis de haberme elegido —dijo emocionada. A escondidas, se secó una lagrimita.

—**¡Todos en fila!** —exclamó entonces—. Voy a asignar las tareas, y a mediodía volvéis a informarme... ¡y sed puntuales! Cuando digo mediodía, es mediodía. ¡Ni un minuto más, ni un minuto menos!

¿Entendido? ¿Entendido? ¿Entendido?

—Uy, sí que se le ha subido a la cabeza. ¡Ya sabía yo que hacía bien votando por mí mismo! —protestó Trampita bajo los bigotes.

Tea paseaba arriba y abajo de la playa:

—Construiremos un refugio sobre el **BAOBAB**. Necesitaremos dos, no, tres días para terminarlo. ¡Después partiremos en busca del OJO DE ESMERALDA!

—¡Bien, el tesoro! —exclamó Trampita, de nuevo de buen humor.

Mientras tanto, Tea escribía en una hoja de banano una larga lista de cosas por hacer:

—Geronimo, tú te ocuparás del avitualla-miento: traerás fruta, bayas y raíces; pescarás cangrejos y moluscos. Tú, Trampita, eres nombrado jefe de cocina.

—¡ESTUPENDO, JEFA!

¡Veréis qué platos! Para chuparse los dedos —se animó rápidamente mi primo.

—Benjamín, tú me ayudarás a construir la ca-baña en el **BaoBaB**. ¡Y ahora, al trabajo!

¡Un ratón para todos, y todos los ratones para uno!

¡Un ratón para todos, y todos los ratones para uno!

DE MI DIARIO

Querido
diario, escribo en una
hoja de banano porque se
me ha acabado el papel.
Hemos necesitado tres días
para construir la cabaña en el
baobab. Con ramas y trozos de
madera hemos preparado la
plataforma; con cañas de
bambú las pasarelas para ir de una
superficie a otra. Una gran rueda de
madera, accionada por la corriente del
riachuelo, gira continuamente. Veamos
un poquito cuáles son las demás
novedades. Tea y Trampita

se pelean todo el tiempo por los turnos para el baño.

Ahora mismo, mientras estoy escribiendo, los oigo chillar... en fin, un desastre.

Todo ha cambiado, pero esos dos siguen siendo los mismos de siempre...

Ahora, querido diario, te dejo y me voy corriendo a la cocina. Esta noche es mi turno: me toca lavar los platos.

P. S. He comprendido que no he nacido para una vida aventurera. ¡Ah, cómo me gustaría estar en mi casa!

Tuyo, Geronimo

RODAJAS
DE QUESO

Aquella noche, Tea se quedó levantada hasta tarde. ¿Quién sabe qué tramaba mi hermana? Conociéndola, podía esperar cualquier cosa.

Al amanecer estábamos desayunando a la sombra del baobab cuando llegó Tea sacudiendo el mapa.

—¡Viva! ¡Lo he conseguido!

Trampita se sobresaltó.

—Pero por qué las **MUJERES** siempre tenéis que gritar? ¿Eh? ¿Por qué? Si ya os oímos.

Tea saltó sobre la mesa y desde allí arriba declamó:

—He descubierto...

Hizo una pausa, con aire dramático.

—¿**El qué?** ¿**El qué?** —preguntó Trampita nervioso, cogiéndola de la cola.

Tea se alisó las orejas, dándose aires de importancia.

—Primero, he trazado el punto con el astrolabio. Después, con una triangulación... y después he consultado los logaritmos de...

—¿Astrolapo? ¿Trianfulición? ¿Logaristos? —protestó Trampita—. ¡No soporto cuando vas de **sabihonda**!

Mi hermana señaló el mapa.

—Basta ir hacia el norte, en dirección a la *Bahía del Bucanero Bigotudo*, después rodear el Pico Apestoso, y luego descender hacia el sur, hacia el *Salto del Gato*. Allí encontraremos el Río del Pellejo Pulgoso, que tendremos que seguir hasta el Pico del Pirata Bigotudo. ¡Y desde allí, será un paseo encontrar el OJO DE ESMERALDA!

Al oír la palabra ESMERALDA Trampita cambió de humor:

—Vaya, primita... ejem... deja que sea el primero en felicitarte... ejem... pero ¿sabes que eres muy **inteligente**? Y ¿qué decías del tesoro, eh? ¿Dónde está, según tu opinión?

Tea protestó:

—Pero ¿es que tienes los ojos llenos de queso? ¡Mira aquí, en el mapa: es una X enorme, grande como un queso de bola!

Trampita no se ofendió, es más, continuó adulándola.

—Querida, queridísima primita, yo diría que

podríamos partir mañana por la mañana, ejem, incluso esta noche, es más, yo en realidad,

—Calma calma calma, explícamelo todo al detalle —intervine yo—. Tenemos que trazar un itinerario, estimar el tiempo, las etapas. Trampita estaba cada vez más frenético.
—Pero ¡qué tiempo ni qué etapas! ¡Esta listilla ya lo ha cuadrado todo! ¡Nos vamos ya, zumbando!
Los dos ya me habían excluido, confabulando entre ellos, discutiendo los detalles del viaje, mientras Benjamín exclamaba con aire soñador:
—El tesoro, ah, el tesoro...

UNA CALAVERA

La partida estaba prevista a las seis de la mañana, pero a las cuatro en punto mi primo ya estaba en pie.

—¡Ratonzuelos, partimos! —gritó por un **MEGÁFONO** hecho con hojas de palma.

Tea lo golpeó en la oreja derecha con un coco.

—Pero ¿sabes qué hora es? ¡Si te pillo me hago una chaqueta con tu pellejo! gritaba persiguiéndolo por todo el **BAOBAB**.

—¡¡¡Nos vamos, nos vamooooooos!!! —se reía Trampita—. ¡Yo listo, súper-listo, es más, súper-mega-listo! ¡Si no os dais prisa, me voy sin vosotros! ¡Quien no esté listo, que se espabile! —chillaba por el megáfono.

Tea se tiraba de los bigotes de rabia.

«**¡Fuiste tú quien quiso traer-lo!**», quería decirle, pero me callé, porque mi hermana tenía una expresión feroz en los ojos.

¡Si no os dais prisa, me voy sin vosotros!

Nos pusimos en fila **INDIA**.

La marcha duró toda la jornada. Hacia la noche, avistamos el **Pico apestoso**.

Tea señaló el mapa.

—Estamos llegando al punto de la primera calavera, al que corresponde un texto:

¡SI ENCONTRÁIS UN PEÑASCO
CUBIERTO DE LÍQUENES,
NO OS AGITÉIS,
NO OS CONVIENE!

Yo miré a mi alrededor, perplejo.

—Ahí está el peñasco del que habla el mapa. ¡En efecto, está recubierto de líquenes! —Di unos pasos, precediendo a mis amigos—. Pero por aquí no hay nada especial. Sólo una extensión de arena. ¡Sólo arena! Aren... —Antes de acabar la frase, empecé a hundirme.

—¡Eh mirad! —me reí—. ¡Ja, ja, ja, la arena me llega a los tobillos, es más, ahora a las rodillas!

¡Ja! ¡Ja! ¡Ja!

TEA ME OBSERVÓ. SIN REÍRSE.

—¡Gero-
nimo, ten-
go que dar-
te una noticia,
muy mala!

—¿Ah, sí, cuál?

—¡Geronimo, creo que
son **arenas movedizas**!

—¡Por mil quesos de bola! ¿Arenas movedizas? —chillé—. **¡Socorrooo!**
—grité con la arena hasta el ombligo.

—¡Quieto, no te muevas! —gritaba Tea, ten-
diéndome una rama.

Pero ¡yo me agitaba, y cómo!

—¡Socorrooo! —gritaba ya con la arena hasta las orejas.

Trampita se colgó de un **ÁRBOL** y me lanzó
una liana.

—¡Agárrate a esto, primo, si quieres salvar el
pellejo!

Dos calaveras

Una vez más, Trampita me había salvado la vida.

—¡Por las garras punzantes del gato zumbón... ¿Por qué se me ocurriría partir? ¡Volveré a Ratonia con el pelaje blanco de tantos sustos! —murmuré.

—¡Siempre y cuando consigamos volver a Ratonia! —subrayó siniestramente Trampita, y murmuró en tono lúgubre—: ¡Dentro de poco llegaremos a las DOS CALAVERAS!

Proseguimos la marcha durante todo el día siguiente, vadeando el *Río del Pellejo Pulgoso*. Pasado el *Salto del Gato*, avistamos el *Pico del Pirata Hediondo*.

—¡Hemos llegado al punto de las DOS CA-LAVERAS! —anunció Tea.

Me estremecí. ¿Qué nos esperaba esta vez?

Miré alrededor: nos encontrábamos en un claro donde se elevaba un árbol altísimo de cuyas ramas pendían grandes frutos amarillos, parecidos a las piñas.

Tea leyó en voz alta el texto correspondiente a las DOS CALAVERAS:

¡LOS QUE EL ÁRBOL DE LA MIEL

ALCANCEN,

SE ENTERARÁN

DE QUE SUS FRUTOS PICAN!

Trampita avanzó:

—¿Frutos que pican? ¡Yo me encargo, ratonzuelos! ¡Tranquilos! ¡Ahora mismo me cargo uno de una pedrada y veremos qué pasa!

—¡QUIETO! ¡Nada de iniciativas indivi-duales! —grité.

—¡Tranquilo, **GERONIMUCHO!**

Si pican, basta con no tocarlos, ¿no? ¡Je, je, je!

Entonces, agarró una piedra, apuntó y golpeó de lleno en el fruto más cercano.

—No me llames **GERONIMU...** — empccé a decirle a mi primo. Pero me interrumpí.

—¡Socorrooo! ¡Una colmena!

Del "*fruto amarillo*" goteaba una miel **densa** y dorada.

Como respondiendo a una señal convenida, de todos los panales colgados de las ramas del árbol salieron zumbando enjambres de abejas.

—¡Rápido, al río! —gritó mi hermana.

Corrimos **desesperados** mientras las abejas zumbaban furibundas.

Nos lanzamos de cabeza al agua. La corriente nos arrastró hacia el valle y, cuando emergimos, dimos un suspiro de alivio: las abejas habían perdido nuestras huellas.

Tea desenrolló el mapa y comprobó nuestra posición.

—Veamos, esto es la *Llanura de los Escalofríos*. Entonces, a nuestra izquierda está el *Pico del Pirata Hediondo*, al frente, el *Pico Perla*. ¡Exactamente por en medio de esas dos **montañas** es por donde debemos pasar! ¡Y justo ahí están señaladas las DOS CALAVERAS!

TRES CALAVERAS

El sendero se estrechaba entre dos altísimas paredes de roca. Estábamos obligados a pasar por encima de una superficie pavimentada con piedras: en cada una había grabada una letra. Tea leyó la frase del mapa en voz alta:

SI LA TRAMPITA QUERÉIS SUPERAR,
SOBRE LAS PIEDRAS JUSTAS TENDRÉIS
QUE SALTAR.
PARA MOVEROS CON HOLGANZA,
RESOLVED LA ADIVINANZA:
SE HACE CON LECHE DE VACA,
DE OVEJA Y DE CABRA
Y SABE A BESO
¿QUÉ ES ESO?

Mi primo se rió.

—¿Trampita? ¿Qué trampita? ¡Hablan de mí! ¡Je, je, je, sabía que el tesoro me estaba esperando justo a mí, al famoso Trampita!

Yo leí y releí una y otra vez la adivinanza.

Mi primo estaba impaciente.

—Entonces, Gerry, ¿qué quiere decir? Tú eres el **cerebrito** de la familia, vamos, exprímete los sesos, sí, las *merengues*... no, las meninges...

Yo suspiré.

—Por favor, no me llames **Gerry**. ¡Mi nombre es *Geronimo*!

Mientras, reflexionaba. ¿Leche de vaca, de oveja, de cabra? ¿Sabe a beso? ¿A beso?

—¡Es el queso! —chillé exultante—. Tenemos que saltar sobre las letras que componen la palabra **QUESO**!

Trampita saltó sobre la primera piedra.

—¡Fácil! ¡Facilísimo! ¡Estaba a punto de decirlo yo! Entonces, ¿voy? ¡Voy!

Mientras nosotros aguantábamos la respiración, Trampita saltó sobre la piedra en la que estaba grabada la letra **Q**, y después sobre la **U**,**E**,**S**... ¡y entonces saltó sobre la **U**!

—¡Cuidadoooo! —gritamos todos a coro.

La gramática nunca ha sido su fuerte. ¡**QUESO** se escribe con O, no con U!

Justo cuando mi primo posó la pata en la piedra equivocada, la piedra se *hundió* y él cayó.

Miré hacia abajo: ¡el agujero era *profundísimo!* Del hoyo subía un vapor húmedo y amargo. Algo se entreveía en el fondo: ¡palos de madera afilados y

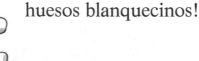

huesos blanquecinos!

¡POBRE TRAMPITA!

—¡Pobre tío Trampita! —sollozó Benjamín.

—¡Pobre primo! No podremos siquiera llorar sobre su tumba. ¡Ni siquiera podremos ir a su funeral! —murmuró Tea, secándose una lágrima.

—¡Era tan generoso! ¿Recuerdas, tío Geronimo, cuando te salvó la vida en el mar? —lloraba Benjamín.

Yo también estaba conmovido.

—¿Cómo podría olvidarlo? ¡Trampita me ha salvado la vida no una vez, sino dos! La primera en el mar, la segunda en las arenas movedizas.

Tea dijo dudando:

—Aunque de vez en cuando, todo hay que decirlo, era un poco pesadito.

Benjamín aumentó la dosis.

—¡Oh, sí, el pobre tío Trampita era muy irritante cuando se lo proponía!

Yo concluí:

—¡A veces era insoportable!

En ese momento, se oyó una voz que provenía de ultratumba.

—¿PESADITO? ¿IRRITANTE? ¿INSOPORTABLE?

Nos asomamos al hoyo. Trampita estaba colgado por los pantalones de un matojo espinoso, al borde del abismo.

—¡Trampita, resiste, ya vamos!

En un segundo lo subimos.

Trampita estaba un poco pálido, pero tan animado como siempre.

—¡Os he oído cuando decíais que era pesadito, irritante e insoportable, pero también habéis dicho cosas bonitas! Sobre todo tú, **Geronimito**. **¡Geronimito**, hasta te daría un besito! **¡Je je je!** —canturreó para hacerse el gracioso.

—No me llames Geronimito, te lo ruego. Mi nombre es Geronimo, *¡Geronimo Stilton!*

Geronimito, hasta te daría un besito

¿DOBLONES DE ORO?

Proseguimos hacia el punto **X**.

—Dí, primo, tú que eres un ratón de cultura, además del *Ojo de Esmeralda*, ¿encontraremos también monedas de plata o de **oro**, o qué más? —farfullaba Trampita excitadísimo.

—Podría haber monedas antiguas: **doblones de oro** representando al príncipe felino Mao Garra de Hierro, llamado el Aplastarratones —respondí.

—¡**Doblones, doblones de oro**: cuánto me gusta el sonido de esta palabra! —soñaba Trampita despierto. Mientras tanto, Tea comprobaba el mapa.

—Hemos llegado. ¡El OJO DE ES-MERALDA tiene que estar aquí!

Trampita, impaciente, corrió por delante de nosotros.

—¿ESMERALDA, pero qué ESMERAL-DA? ¡Agua, aquí sólo hay agua! —gritó desilusionado.

Justo donde deberíamos haber excavado había un lago profundísimo.

—¿ASTROLAPO? ¿TRIANFULICIÓN? ¿LOGARIS-TOS? —protestaba Trampita furibundo.

—¡Pues esto es el punto X! —repetía Tea incrédula.

—¡Si éste es el punto, entonces ésta es la isla equivocada! ¡Grrrrrrr! —chilló persiguiendo a Tea—. ¡Ya verás cuando te atrape!

Yo suspiré, sosteniéndome la cabeza entre las patas.

Benjamín se sentó a mi lado, desilusionado.

En ese momento, oí un ruido procedente de

la maleza—. ¡Sssssssst! ¡Quietos todos!
—murmuré—. ¡Algo se mueve ahí atrás!

Todos escuchamos con las orejas bien tiesas.

—¡Algo... o alguien! —susurró siniestramente Trampita—. ¿Quién va delante?

Y entonces, contando con los dedos, enumeró: Benjamín es demasiado **PEQUEÑO**, a Tea la descartamos porque es una **CHICA**, yo no, porque alguien se tiene que quedar con ellos dos, ¿no? ¡Así que vas tú, Geronimo! —concluyó, empujándome hacia los matojos de donde provenían los ruidos ruidos ruidos ruidos

Tea, ofendida, desenfundó su cuchillo y chilló furibunda mientras se iba a la carrera:

—**¡AHORA VERÉIS!**

Se lanzó hacia el punto de donde provenían los ruidos y apartó la maleza, gritando:

—¡Sal de ahí si eres valiente!

Hubo un instante de silencio que pareció eterno. Entonces, de repente...

—Ah, ¿vosotros también os alojáis en el complejo? —Frente a nosotros había una comitiva de ratones en bañador, armados con máquinas fotográficas y de vídeo.

—**¿COMPLEJO? ¿QUÉ COMPLEJO?** —preguntamos nosotros a coro.

—Pues en el complejo turístico **RATATOUR**.

¡ZAC!
¡ZAC!

Por un instante, me pregunté si estaba soñando. ¿Era una pesadilla? ¡Desafortunadamente, **NO**!

Mis compañeros y yo nos miramos en silencio. El primero en reaccionar fue Trampita, que preguntó con voz RONCA:

—¿RATATOUR? ¿Habéis dicho RATATOUR? ¿Queréis decir que ésta NO ES una isla DESIERTA?

El guía nos observó con curiosidad.

—¿Desierta? Pero si la playa está repleta de roedores. ¡Es temporada alta en la isla!

Trampita se revolvió contra Tea:

—No te bastaba con traerme a una ISLA EQUI-

VOCADA. ¡Además tenías que traerme en temporada alta!

Mientras tanto, los turistas miraban pasmados nuestro pelaje **sucio**, nuestra ropa **hecha jirones**, el enorme cuchillo al cinto de Tea, el *mapa del tesoro* entre las patas de Benjamín.

¡Quién sabe lo que pensarían de nosotros!

En ese momento, un ratón de aire tímido exclamó, dirigiéndose a Tea:

—Ejem, señorita, usted ha participado en un curso de **SUPERVIVENCIA**, ¿verdad?

Por un instante, Tea lo miró con los ojos inyectados en sangre, pero se recuperó en seguida y murmuró, pavoneándose:

—¿Curso de supervivencia? ¿Le parece que lo necesito? Observe bien. Puedo rebanar una cola de ratón al vuelo en un santiamén, así, ¡Zac! ¡Zac!

Y de un GOLPE limpio cortó una caña de bambú.

El otro se estremeció fascinado.

—Ejem, ¿puedo acompañarla al *complejo*? ¿Podría invitarla a cenar? ¡Hay un restaurantito muy romántico en la playa!

—Ya veremos. Dígame, ¿a qué se dedica usted en la vida? —preguntó Tea, adulada.

¡zac!

Sacudí la cabeza. Me dirigí con Benjamín hacia el *complejo* turístico, mientras Trampita, por una vez, parecía falto de palabras.

—¡El tesoro, el tesoro! —repetía mirando al vacío.

¡AJÚSTENSE LOS CINTURONES!

Después de escuchar nuestras increíbles aventuras (de hecho hasta a nosotros nos costaba creerlas), el director de **RATATOUR** nos consiguió cuatro pasajes en primera clase en el primer avión directo a Ratonia. Cuatro, bueno, tres, porque Tea decidió quedarse en la isla unos días más.

—¿Es un verdadero *tesorooooo*! —chillaba Tea, entusiasmada con su nuevo acompañante—. Nunca he visto a un ratón tan **gua-po©**. ¡Me adora, y es tan romántico! *Gerónimo*, ¿por qué no te quedas tú también?

—**¡Decididamente no!** ¡Quiero volver a casa! —seguía repitiendo yo.

Llegó el momento de la partida.

—¡Embarque inmediato! —se oía por el altavoz del aeropuerto.

Subimos a bordo.

—¡Se ruega a los señores roedores que se ajusten los cinturones de seguridad!

Una **graciosa** azafata de pelaje **oscuro** recorría el pasillo ofreciendo a los pasajeros de primera clase taquitos de **parmesano** curado.

—Qué vacaciones tan **BONITAS**, ¿eh? ¿Le han gustado? —me preguntó el ratón sentado a mi lado, guiñándome un ojo.

—**MUY BONITAS**. ¡Además, han sido gratis! —protesté entre dientes.

Trampita había recuperado ya el BUEN HUMOR y le hacía la corte a la azafata, contándole que él, ¡del mar, entendía un rato! Volvía de un largo y aventurero **viaje** en el que...

Me perdí los detalles porque miraba el paisaje a través de la ventanilla. Por primera vez podía ver la isla desde las ALTURAS.

¡Cuánta vegetación! ¡Y qué límpida era el agua de sus costas!

En el centro de la **ISLA**, había un *lago de aguas verde esmeralda.* ¡Ah, claro, era el lago que correspondía al punto **X**!

Qué extraño, visto desde las alturas, tenía la forma de un ojo, un ojo color **verde esmeralda**...

—¿Ojo? ¿Esmeralda? ¡Claaaaarooooo! —exclamé emocionado.

Benjamín, que se había dormido sobre mi hombro, se despertó sobresaltado.

—¡MIRA! ¡MIRA! —grité, mientras todos los pasajeros se volvían para observarnos.

—¡Entonces el OJO DE ESMERALDA era eso! ¡Ése es el tesoro señalado en el mapa!

Mi primo aplastó el morro contra la ventanilla y después protestó:

—Primito, para mí, un tesoro es algo que se puede gastar. ¡Y en un tesoro como ése, como máximo puedo lavarme los calcetines!

Suspiré, volviendo a mi asiento.

El lago de reflejos verdes, justo en el centro de la isla, se alejaba cada vez más debajo de nosotros mientras el avión tomaba altura.

Benjamín me estrechó la pata, después me dio un besito para consolarme.

—Tío, el OJO DE ESMERALDA es un tesoro precioso, tan grande, que nadie se lo puede llevar... ¡ni siquiera nosotros!

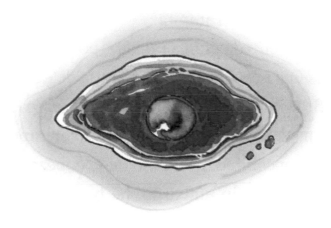

MEGA-NEVEROTA

¡QUÉ BUENO ES VOLVER A CASA! Sábanas **limpias**, ducha **CALIENTE** todas las mañanas, mi neverota llena de queso de bola, de quesitos y de mozzarela...

Hoy he visto a Trampita.

—Tú que eres de pluma rápida, ¿por qué no escribes una novelita sobre la historia del tesoro?

—¿Bromeas? ¡Soy un ratón muy ocupado! ¡Ni en sueños, ni hablar, impensable, imposible, inconcebible, quítatelo de la cabeza!

Por la tarde, sin embargo, he hojeado nuestro diario de viaje. ¡Cuántas emociones, cuántas aventuras! Quizá Trampita, por una vez, ha tenido una buena **idea**...

TENIS
RAT CLUB

Han pasado seis meses desde que volvimos de nuestro viaje.

He seguido el consejo de Trampita: he escrito el libro, lo he publicado... y, sobre todo, lo he vendido, es más, ¡lo he **SÚPERVENDIDO**!

¡El libro ya ha entrado en la lista de los **best-sellers** de Ratonia!

—¡Esto sí que es un tesoro! —ha exclamado feliz mi primo, agitando su cheque por sus derechos de autor.

Para celebrarlo, he invitado a Robiolina, una amiga mía muy *muuuuuyyy* fascinante, al Tenis Rat Club.

—¡He leído el libro de una sentada, no sabía que fueras tan valiente! —me ha susurrado al oído Robiolina.

¿HOLA, GERRY?

¡Ring, rIIngg, rIIinggg!

Tea me ha llamado esta mañana temprano.

—¡*Gerry*, prepárate para una noticia **IN-CRE-Í-BLE!** Adivina qué he descubierto hoy.

—Pero ¿cómo voy a adivinarlo?

—¡Otro documento, ya sabes de qué hablo!

—No, ¿de qué hablas? ¿Qué documento?

—¡Como la otra vez! ¿Te acuerdas de los gnocchi al gorgonzola? —preguntó en tono misterioso—. No me hagas decir más.

—**¿El qué? ¿Gnocchi? ¿Gorgonzola?**

¿No querrás decir...? ¡Ah, no, esta vez no, ni

en sueños! ¿No tienes un novio? ¿Por qué no te acompaña él?

—¿Quién? ¿Aquél? ¡Agua pasada, queridísimo! Pero hablemos de cosas serias. No querrás que vaya sola, ¿eh? Eres mi hermano mayor. ¿Dónde está tu sentido del deber, eh? ¡Podría ser un viaje **PE-LI-GRO-SO**! ¿Hola, *Gerry*, estás ahí? *¡Gerry, Gerrrrryy, Gerrrrryyyy!* —exclamaba Tea.

Le hubiera dicho que no me llamara Gerry, ¡que mi nombre es Geronimo, *Geronimo Stilton*! Pero no tenía fuerzas. Apoyé el

Ya sabía cómo acabaría todo aquello...

ÍNDICE

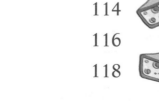

¡NO TE PIERDAS LOS LIBROS ESPECIALES DE GERONIMO STILTON!

Parte con Geronimo y sus amigos hacia un turbulento y agitado Viaje en el Tiempo, o súbete a lomos del Dragón del Arco Iris rumbo al Reino de la Fantasía. **¡Te quedarás sin aliento!**

¡Hola! Soy **Tea** la hermana de *Geronimo Stilton*.
Ya me conocéis, soy la **enviada especial**
de El Eco del Roedor y adoro los viajes y la aventura.
No puedo resistirme a daros una noticia.
¡Ya tengo mi propia colección de libros!
En ella conoceréis a cinco chicas muy especiales:
COLETTE, VIOLET, NICKY, PAULINA y PAMELA
Juntas nos enfrentamos a **misterios**
muy emocionantes y viajamos por
todo el mundo.

VIOLET
NICKY
COLETTE
PAULINA
PAMELA

¿Querréis acompañarnos en nuestras aventuras?

¿Te gustaría ser miembro del CLUB GERONIMO STILTON?

Sólo tienes que entrar en la página web
www.clubgeronimostilton.es y darte de alta.
De este modo, te convertirás en ratosocio/a y
podré informarte de todas las novedades
y de las promociones que pongamos en marcha.

¡PALABRA DE GERONIMO STILTON!

EL ECO DEL ROEDOR
1. Entrada
2. Imprenta (aquí se imprimen los libros
   y los periódicos)
3. Administración
4. Redacción (aquí trabajan redactores,
   diseñadores gráficos, ilustradores)
5. Despacho de Geronimo Stilton
6. Helipuerto

Ratonia, la Ciudad de los Ratones

Queridos amigos roedores,
hasta el próximo libro.
Otro libro morrocotudo
palabra de Stilton, de...

Geronimo Stilton